D1500994

REGUERO

LINNEA RILEY

DE RATÓN

SCHOLASTIC INC.

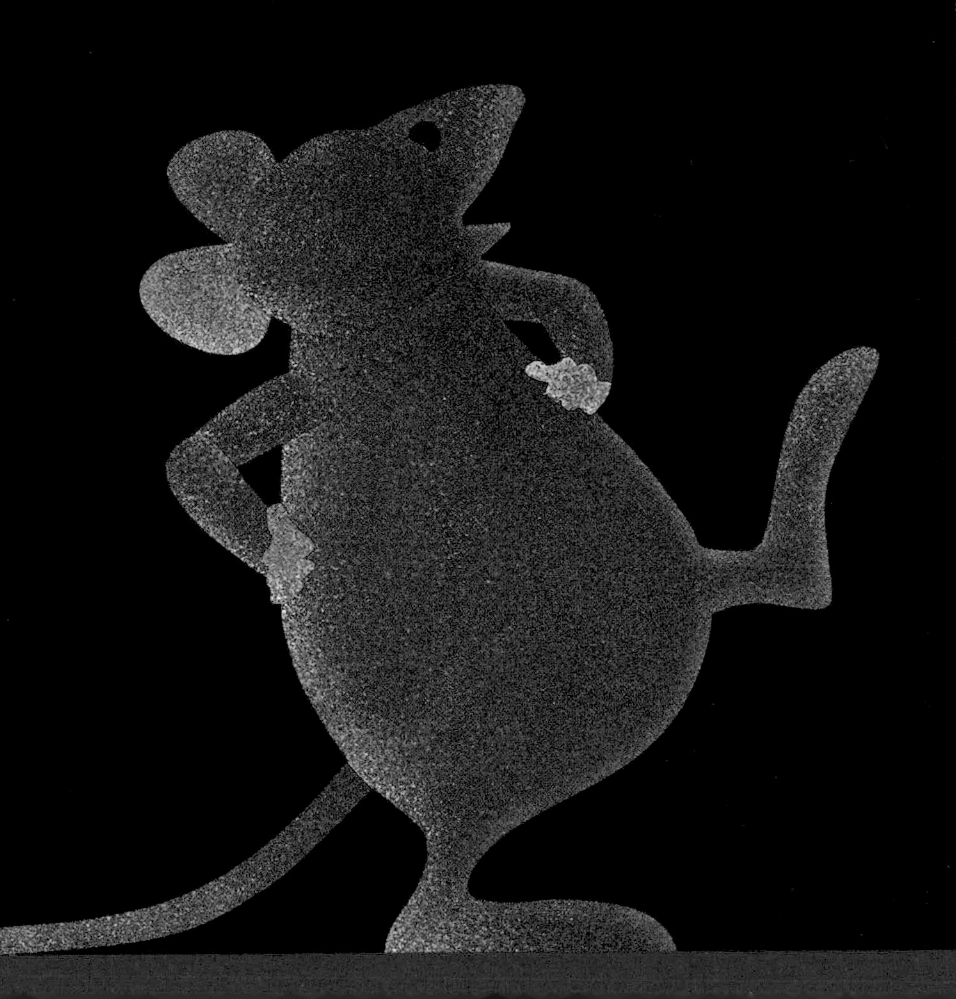

Originally published in English in hardcover by The Blue Sky Press as *Mouse Mess*

Translated by Juan Pablo Lombana

ISBN 978-0-545-57104-3

12 11 10 9 8 18 19/0

Printed in the U.S.A. 40
First Spanish printing, September 2013

Design by Linnea Riley and Kathleen Westray

A mi papá, que adora las...

Dentro de una oscura guarida

duerme un ratoncito en su cama mullida.

¡La familia anuncia que se va a acostar!

¡El ratoncito sale porque ya puede cenar!

Caigan, caigan, galletas de sal.

¿Y esto qué es? ¡Cereal!

El tenedor sirve para juntar las hojuelas

en un montoncito y saltar sobre ellas.

Todo ese queso está bien guardado.

Pero con un cuchillo será liberado.

¡Ay! La leche se derramó.

Y el plato de queso se volteó.

Con mantequilla de maní y mermelada

un buen sándwich se prepara.

Tumba el azúcar el muy pillo,

y con los terrones hace un castillo.

Aquí hay salsas, pepinos y aceitunas.

¡A quitar las tapas, una por una!

Ahora el ratoncito se hace a un lado.

El reguero lo deja impresionado.

Se pregunta: “¿Quién hizo este reguero?

Más que una cocina, parece un basurero".

Mezclando agua y mucho jabón,

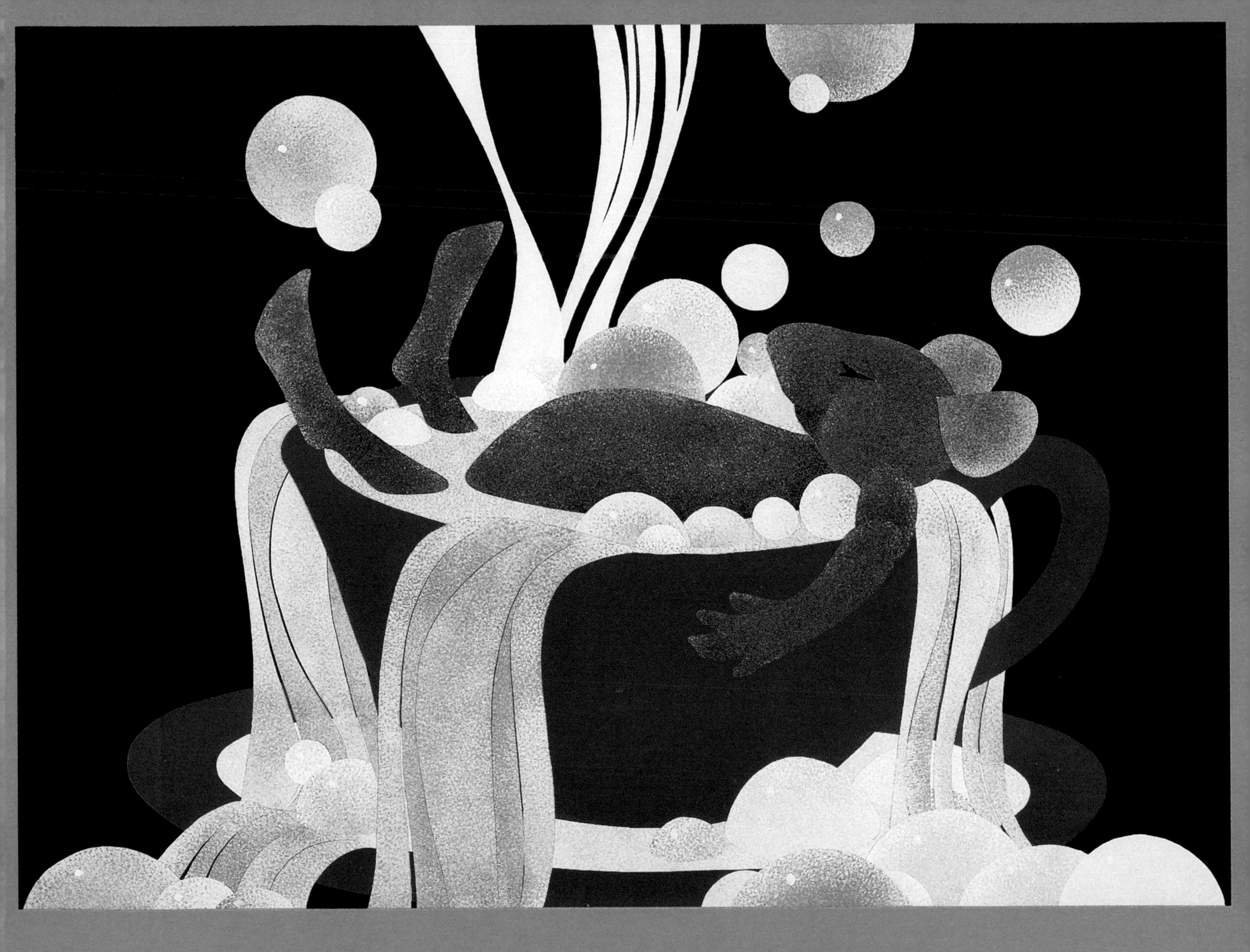

en una taza se da un chapuzón.

Ahora se da cuenta de que el sol va a salir.

Deja todo el reguero y se va...

¡a dormir!